To
ERNIE
~~with~~
~~thank~~
com o meu
muito obrigado
and best
wishes!

[signature]

013_Jan.

Dados Internacionais de Catalogação na Publicação (CIP)
(Câmara Brasileira do Livro, SP, Brasil)

Ziraldo, 1932-
O menino maluquinho / Ziraldo; [ilustrações do autor]. – São Paulo: Editora Melhoramentos, 2005. – (Ziraldo)

ISBN 85-06-00013-0

1. Literatura infantojuvenil I. Título II. Série

05-0798 CDD-028.5

Índices para catálogo sistemático:

1. Literatura infantil 028.5
2. Literatura infantojuvenil 028.5

Ziraldo nasceu em Caratinga, Minas Gerais, em 1932. Começou sua carreira nos anos 1950 em jornais e revistas como *Jornal do Brasil*, *O Cruzeiro* e *Folha de Minas*. Autor de livros infantis, ilustrador e cartunista, Ziraldo tem suas obras traduzidas para diversos idiomas, entre eles inglês, espanhol, alemão, francês e italiano. Seu maior sucesso, *O Menino Maluquinho*, com mais de 100 edições e 3 milhões de exemplares, tornou-se um ícone da literatura infantil brasileira.

Edição revisada conforme o Acordo Ortográfico da Língua Portuguesa

Capa e ilustrações do autor

2.ª edição, 17.ª impressão, novembro de 2011
ISBN: 978-85-06-00013-7
ISBN: 978-85-06-05510-6 (N.O.)

Atendimento ao consumidor:
Caixa Postal 11541 – CEP 05049-970
São Paulo – SP – Brasil
Tel.: (11) 3874-0880
www.editoramelhoramentos.com.br
sac@melhoramentos.com.br

Impresso no Brasil
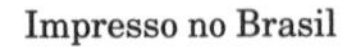

ZIRALDO

O MENINO MALUQUINHO

Era uma vez um menino maluquinho.

Ele tinha o olho maior do que a barriga

tinha fogo no rabo

tinha vento nos pés

umas pernas enormes
(que davam para abraçar o mundo)

e macaquinhos no sótão (embora nem soubesse o que significava macaquinho no sótão).

Ele era um menino impossível!

Ele era muito sabido
ele sabia de tudo
a única coisa que ele não sabia
era como ficar quieto.

Seu canto
seu riso
seu som
nunca estavam onde ele estava.

Se quebrava um vaso aqui

logo já estava lá

às vezes cantava lá

e logo já estava aqui.

Pra uns, era um uirapuru

pra outros, era um saci.

Na turma em que
ele andava
ele era
o menorzinho
o mais espertinho
o mais bonitinho
o mais alegrinho
o mais
maluquinho.

**Era tantas coisas
terminadas em inho
que os colegas não entendiam
como é que ele podia ser
um companheirão.**

**Se ele perdia um caderno
no colégio
(e ele perdia um caderno
todo dia)
era fácil encontrar seu dono.**

Seu caderno era assim:

Descobrimento do Brasil

O Brasil foi descoberto em 1500.
Primeiro chamou-se Ilha de Vera &
Cruz depois Terra de Santa Cruz mais
tarde Brasil. Quem descobreu o Brasil
foi o navegante
português Pedro Ál-
vares Cabral. Ele
saiu do Rio Tejo em
Lisboa na frente de
uma frota de 13 naus
no dia 8 de Março de
1500. A 22 de Abril ele avistou terra à qual
deu o nome de Monte Pascoal, porque era
um monte e era Páscoa.

← Pedro Alvares Cabral de tôca

um dever e um desenho

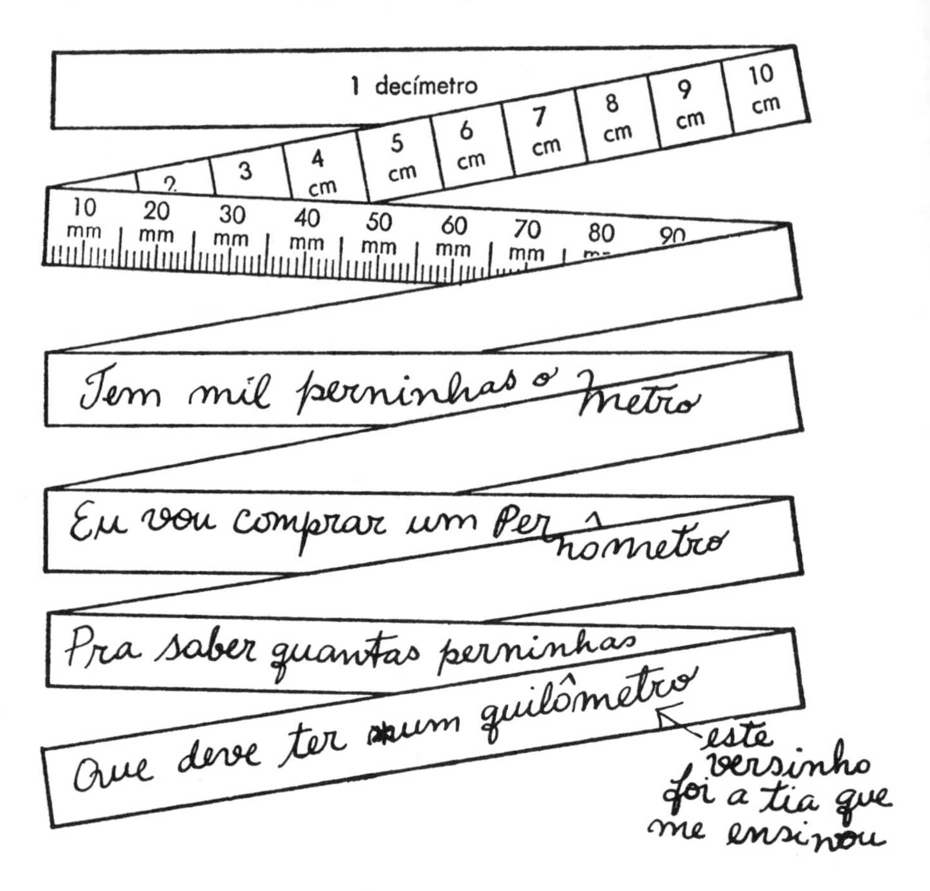

Frações decimais dessas unidades são os *submúltiplos* delas, algumas das quais muito usadas, como o centímetro e o grama.

Mas também se usam medidas que são essas mesmas unidades multiplicadas por 10, 100 ou 1.000.

uma lição e um versinho

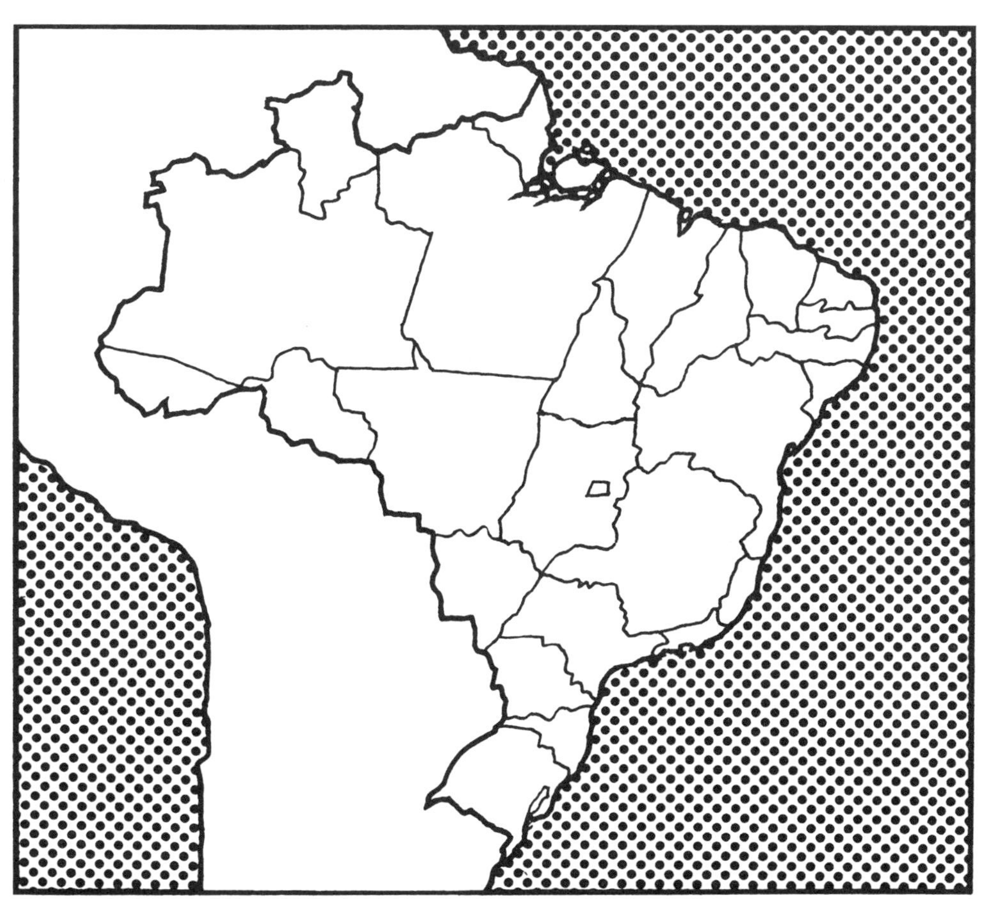

17 - ESCREVA OS NOMES DOS ESTADOS

**um mapa e um passarinho.
"Este caderno só pode ser
do menino maluquinho."**

A melhor coisa do mundo
na casa do menino maluquinho
era quando ele voltava da escola.

A pasta e os livros chegavam sempre primeiro voando na frente.

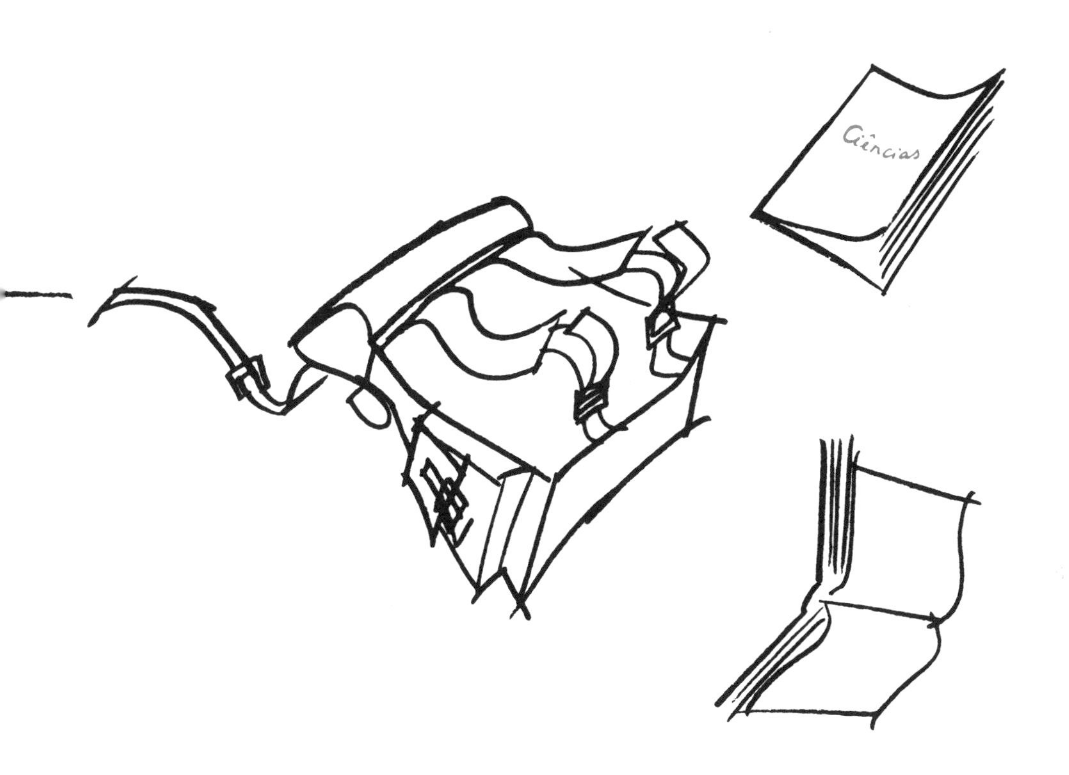

Depois
entrava o menino
com seu pé de vento
e a casa ventava
os quartos cantavam
e tudo se enchia
de som e alegria.

E a cozinheira dizia:
"Chegou o maluquinho!"

Um dia, num fim de ano
o menino maluquinho
chegou em casa com uma bomba:

"Mamãe, tou aí com uma bomba!"

“Meu neto é um subversivo!” gritou o avô.

**“Ele vai matar o gato!”
gritou a avó.**

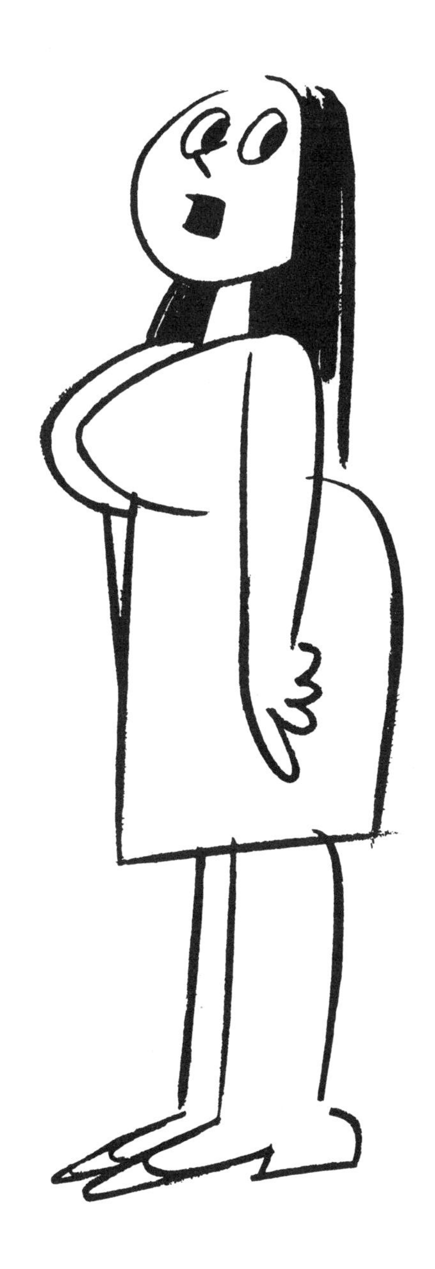

**“Tira esse negócio daí!”
falou – de novo – a babá.**

Mas aí o menino explicou:
"A bomba já explodiu, gente.
Lá no colégio".

"Esse menino é maluquinho!"
falou o pai, aliviado.
E foi conferir o boletim.

Esse susto não era nada
tinha outros que ele pregava.
Às vezes
sem qualquer ordem
do papai e da mamãe
se trancava lá no quarto
e estudava e estudava
e voltava do colégio
com as provas terminadas,
tinha dez no boletim
que não acabava mais.

E ele dizia aos pais
cheio de contentamento:
"Só tem um zerinho aí.
Num tal de
comportamento!"

Numa noite muito escura
apareceu o fantasma!!!

Coberto com um lençol
muito branco
assustador
com dois buracos
nos olhos
saltou
fazendo buuuuuuuuu
sobre os ombros
assustados
do papai e da
mamãe
que voltavam
do cinema.

O susto não foi
muito, muito grande,
não.
Mas,
com o fantasma
no colo,
o papai lhe
perguntou:
"Você não tem
medo do escuro?"

E o menino
respondeu:
"Claro que não!
O fantasma
sou eu!"

Na casa do menino maluquinho
era assim:
se tinha chuva
ele queria inventar o sol

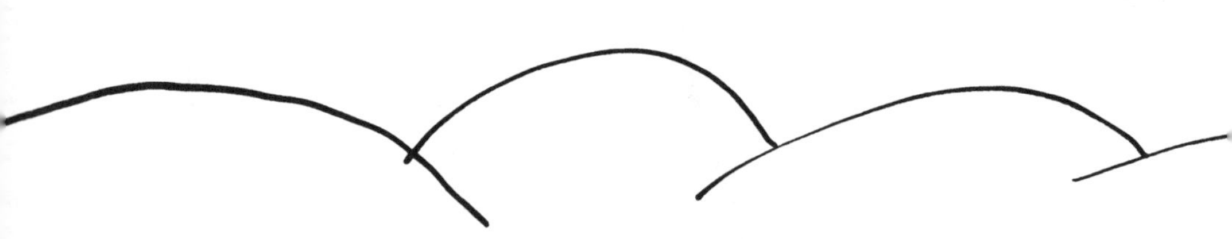

pois sabia onde achar
o azul e o amarelo;

se fazia frio
ele tinha uma transa quentinha
pra se aquecer;

se tinha sombras
ele inventava de criar o riso
pois era cheio de graça;

se, de repente,
ficasse muito vazio
ele inventava o abraço
pois sabia onde estavam
os braços que queria;

se havia
o silêncio
ele inventava
a conversa
pois havia
sempre
um tempo
para escutar
o que
o menino
gostava
de conversar;

se tinha dor
ele inventava o beijo
aprendido
em várias lições.

**E quanto mais
deixavam ele criar
mais o menino inventava
vestido de
Doutor Silvana
com óculos de aro grosso
e jeito
de maluquinho.**

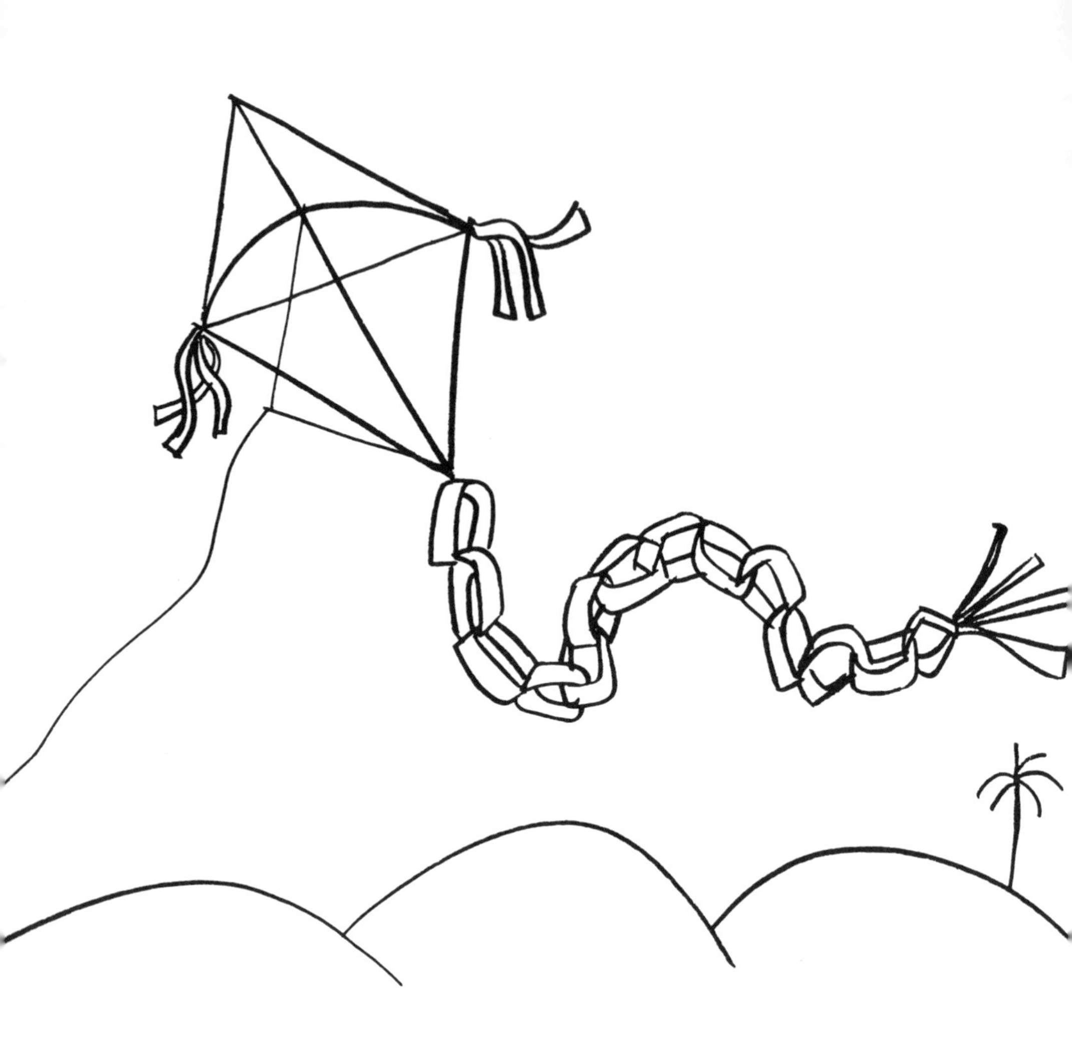

A pipa que
o menino maluquinho soltava
era a mais maluca de todas,
rabeava lá no céu
rodopiava adoidado
caía de ponta-cabeça
dava tranco e cabeçada
e sua linha cortava
mais que o afiado cerol.

E a pipa
quem fazia
era mesmo o menininho
pois ele havia aprendido
a amarrar linha e taquara
a colar papel de seda
e a fazer com polvilho
o grude para colar
a pipa triangular
como o papai
lhe ensinara
do jeito que havia
aprendido
com o pai
e o pai do pai
do papai.

E quando vinha São João
o mais luminoso balão
que todo mundo apontava
era o gordo balãozinho
do menino maluquinho
que custara uma semana
de trabalho da tesoura
e dos moldes da mamãe.

**Era preciso ver
o menino maluquinho
na casa da vovó!**

Ele deitava
e rolava
pintava e bordava
e se empanturrava
de bolo e cocada.
E ria
com a boca cheia
e dormia
cansado
no colo da vovó
suspirando de
alegria.
E a vovó dizia:
"Esse meu neto
é tão maluquinho!"

O menino maluquinho
tinha
dez namoradas!

E elas riam muito, muito
de suas graças
riam tanto
que nem tinham tempo
de beijar escondido.

Quando o namoro acabava
e a nova namorada perguntava
qual tinha sido o motivo
do namoro terminar
ela já sabia a resposta:
“Esse seu namorado
é muito maluquinho!”

Mas todas ficavam muito apaixonadas!

**Ele era
um namorado
formidável**

**que desenhava
corações
nos troncos
das árvores**

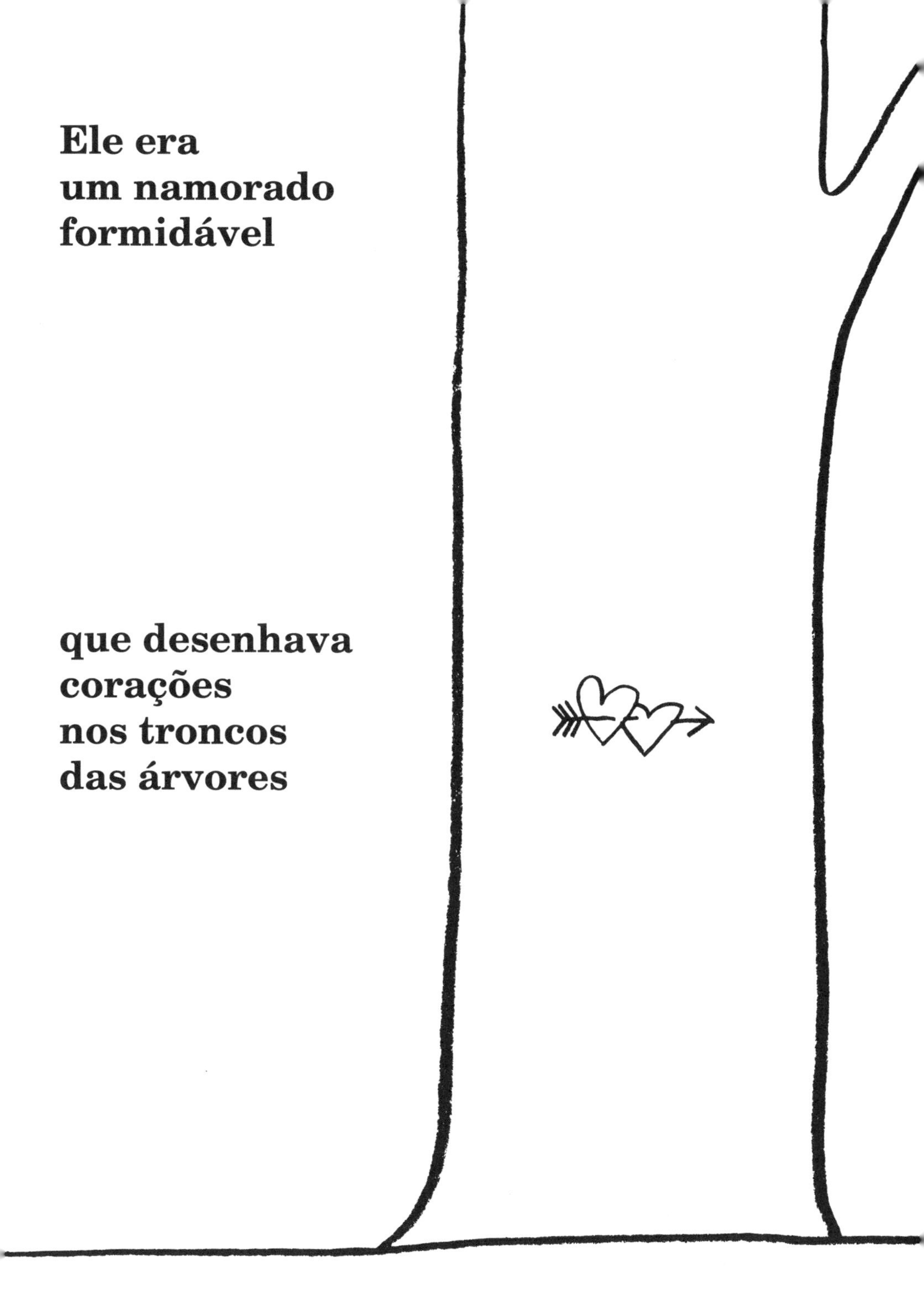

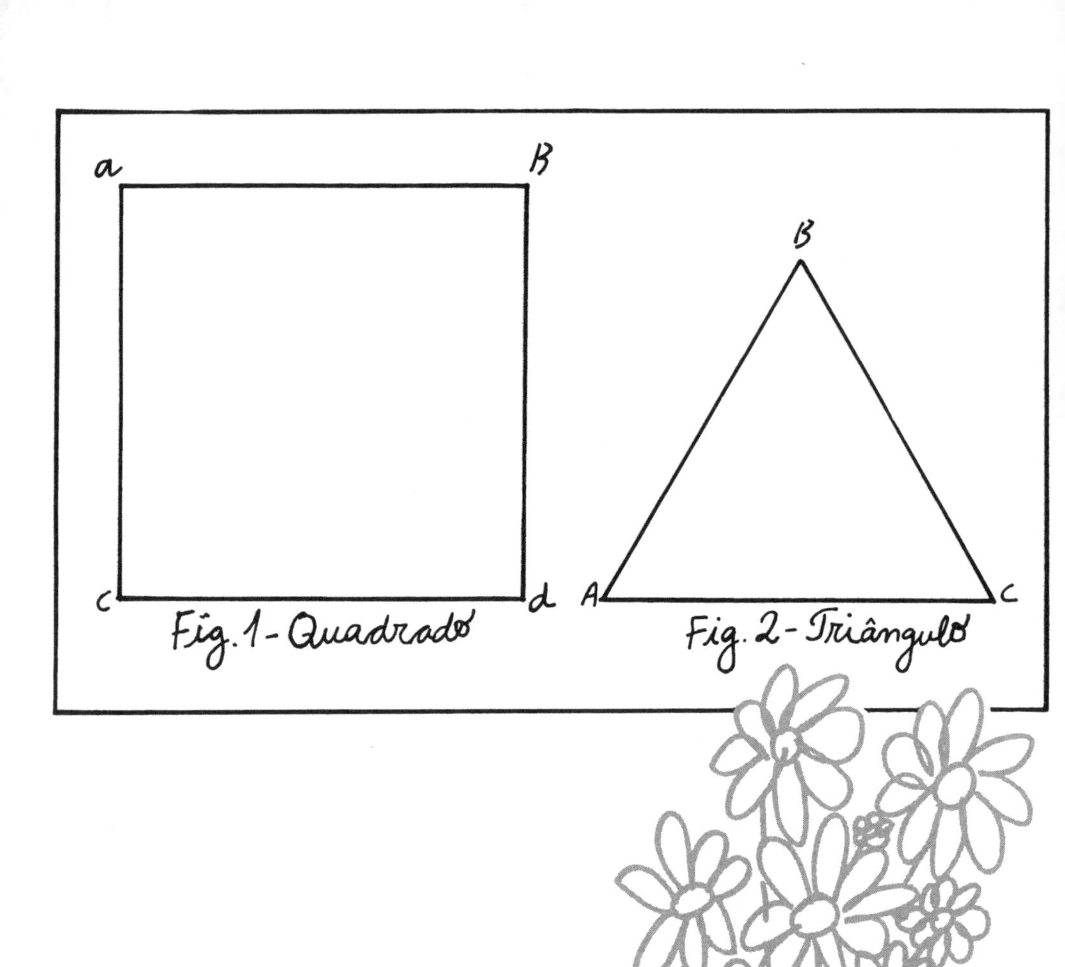

que
desenhava
flores no caderno de desenho

e levava laranjas
e levava maçãs
e pagava sorvetes
e roubava beijinhos

Gosto muito de você
Acho que estou apaixonado
Mas acho que este versinho
Está de pé quebrado

e fazia versinhos

e fazia canções.

E se escalavrava nos paralelepípedos

e rasgava os fundilhos
no arame da cerca
e tinha tanto esparadrapo
nas canelas
e nos cotovelos
e tanta bandagem
na volta das férias
que todo ano ganhava
dos colegas
no colégio
o apelido de Múmia!

E chorava escondido
se tinha tristezas

**e ficava sozinho
brincando no quarto
semanas seguidas**

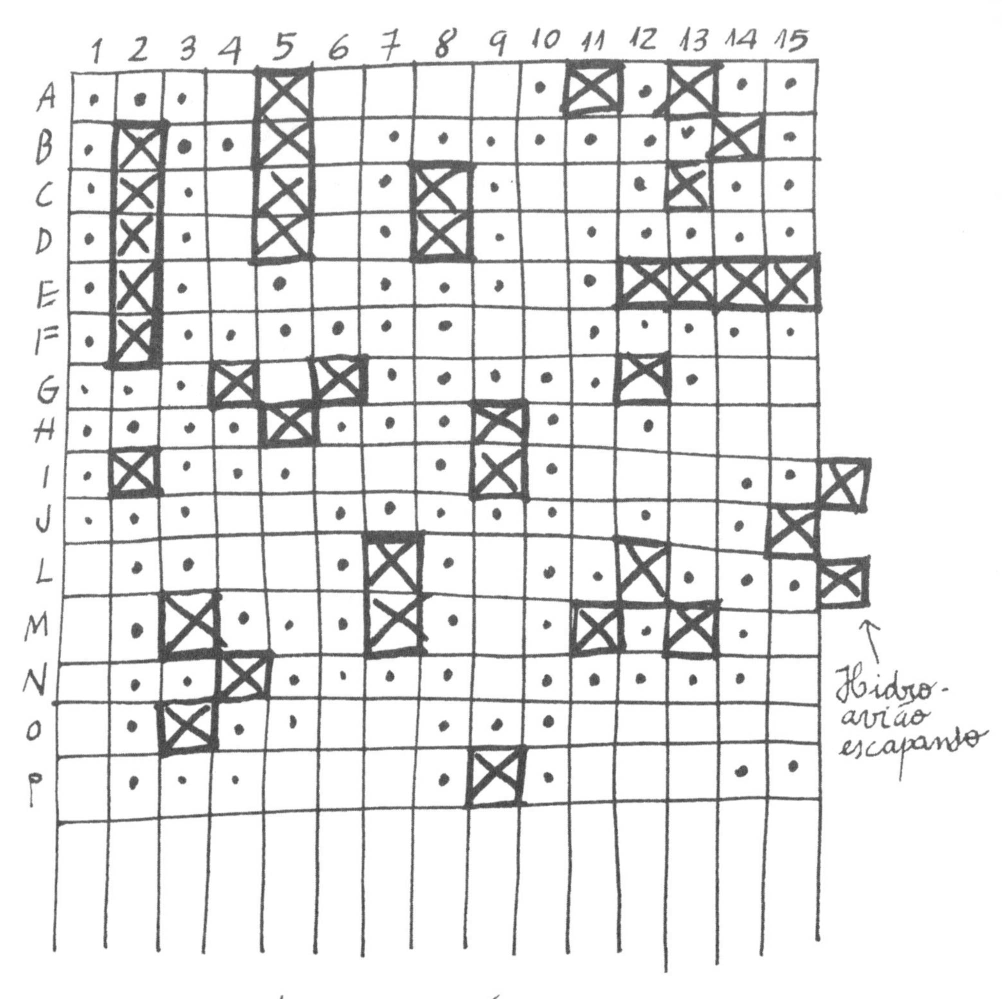

eu contra eu - Vencedor: eu

fazendo batalhas

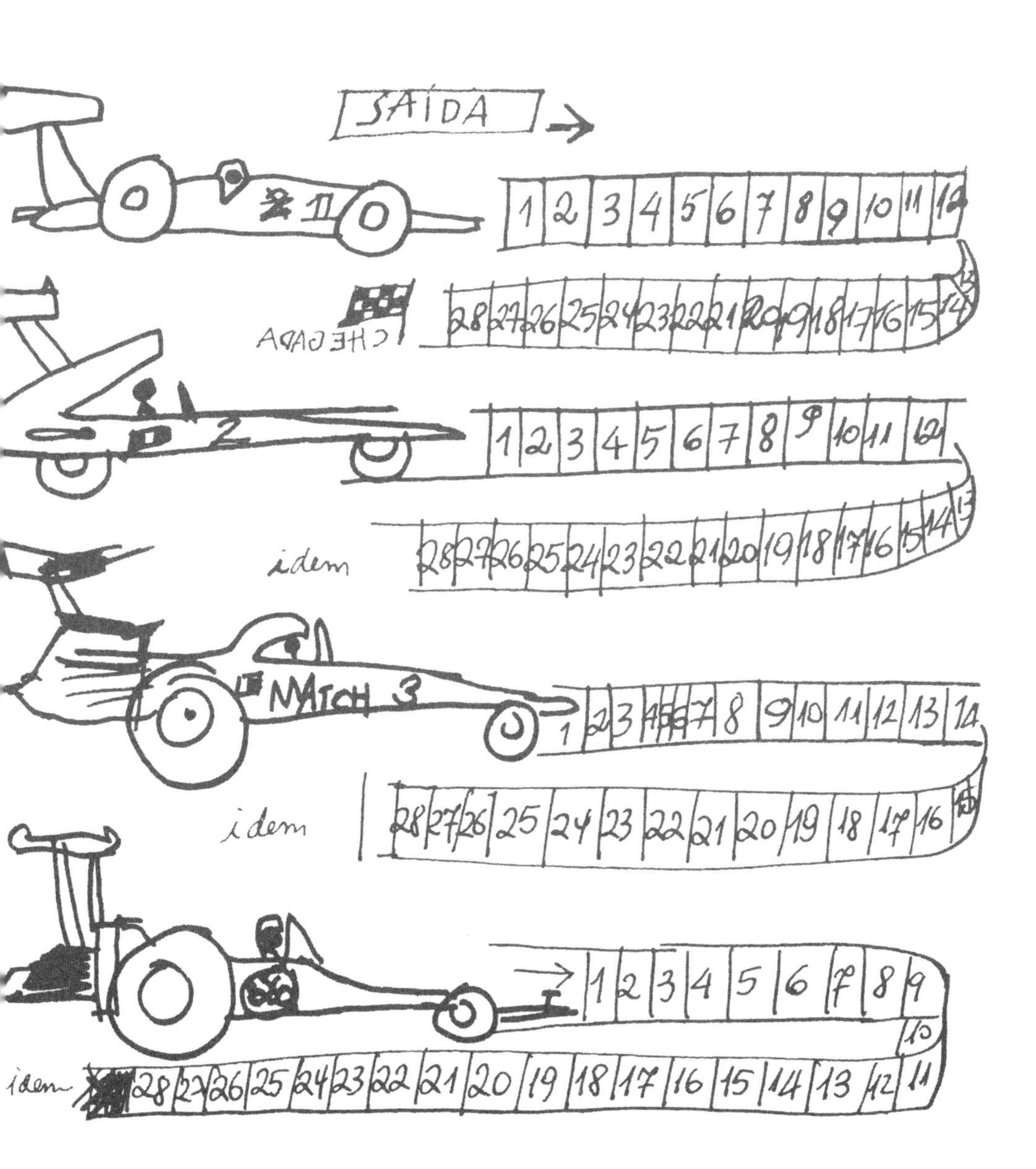

fazendo corridas

desenhando mapas de terras perdidas

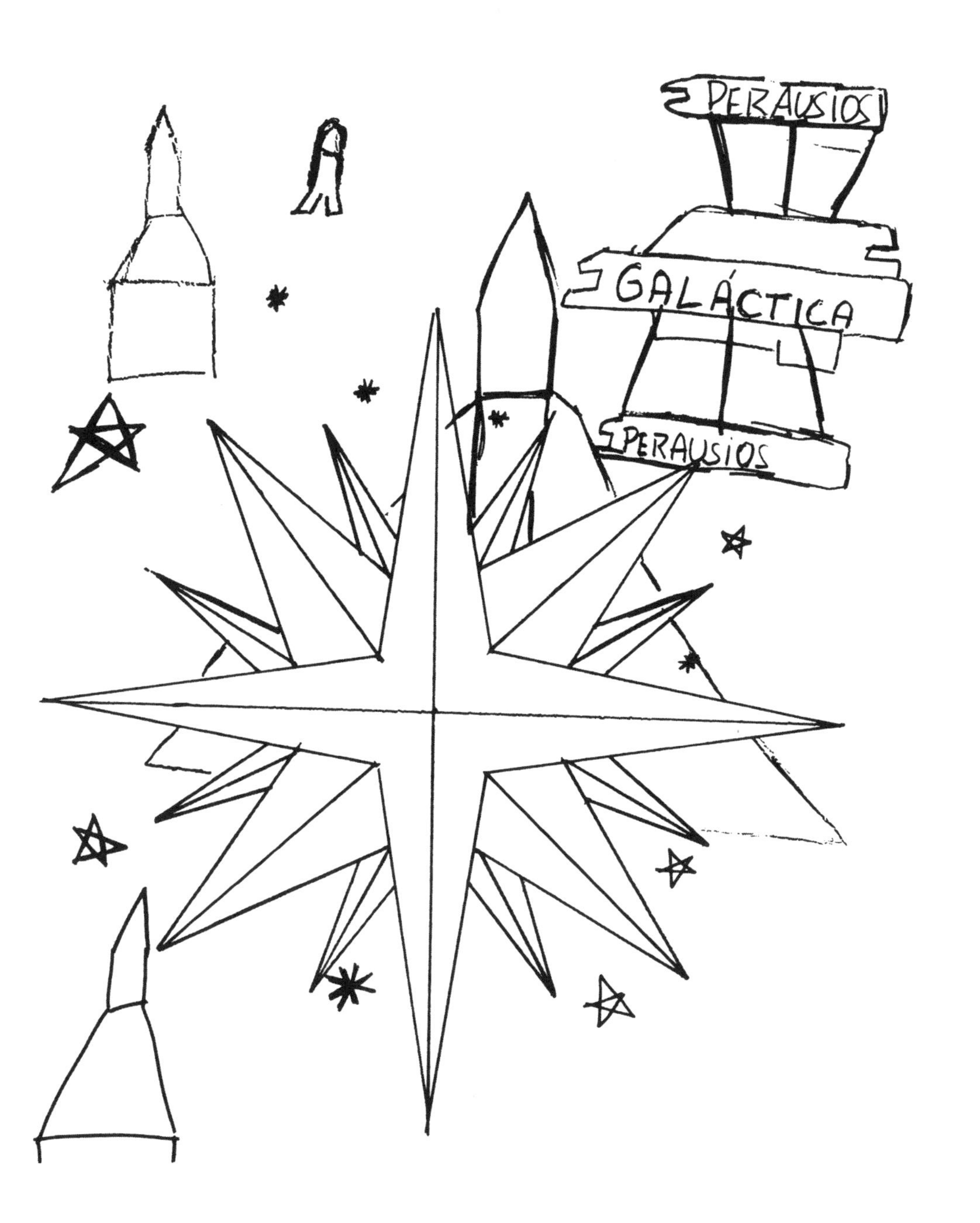

**inventando estrelas
e foguetes espaciais.**

E era montado
num foguete desses
que ele saía do quarto
a voar outra vez
pela mesa da sala
pelas grades da varanda
pelas cercas do quintal.

E todo mundo
ficava alegre de novo
ao ver de volta
a alegria da rua!

VIVA!

O menino maluquinho
tinha lá os seus segredos
e nunca ninguém sabia
os segredos que ele tinha
(pois segredo é justo assim).

Tinha uns mais segredáveis.
E outros
que eram
menos.

Tinha uns dez que ele guardava só pra contar pro papai.

E mais uns dez escolhidos pra dividir com mamãe.

**Os outros, que eram só dele,
não dá pra gente saber
nem quantos eram, de fato.**

Mas
o seu maior mistério
todos sabiam de cor:
era o jeito
que o menino
tinha de brincar
com o tempo.

Sempre sobrava tempo
pra fazer
mil traquinadas
e dava tempo
pra tudo.

(o tempo era um amigão)

Seu ponteirinho das horas
vai ver
era um ponteirão.

E sobrava tempo pra ler os gibis

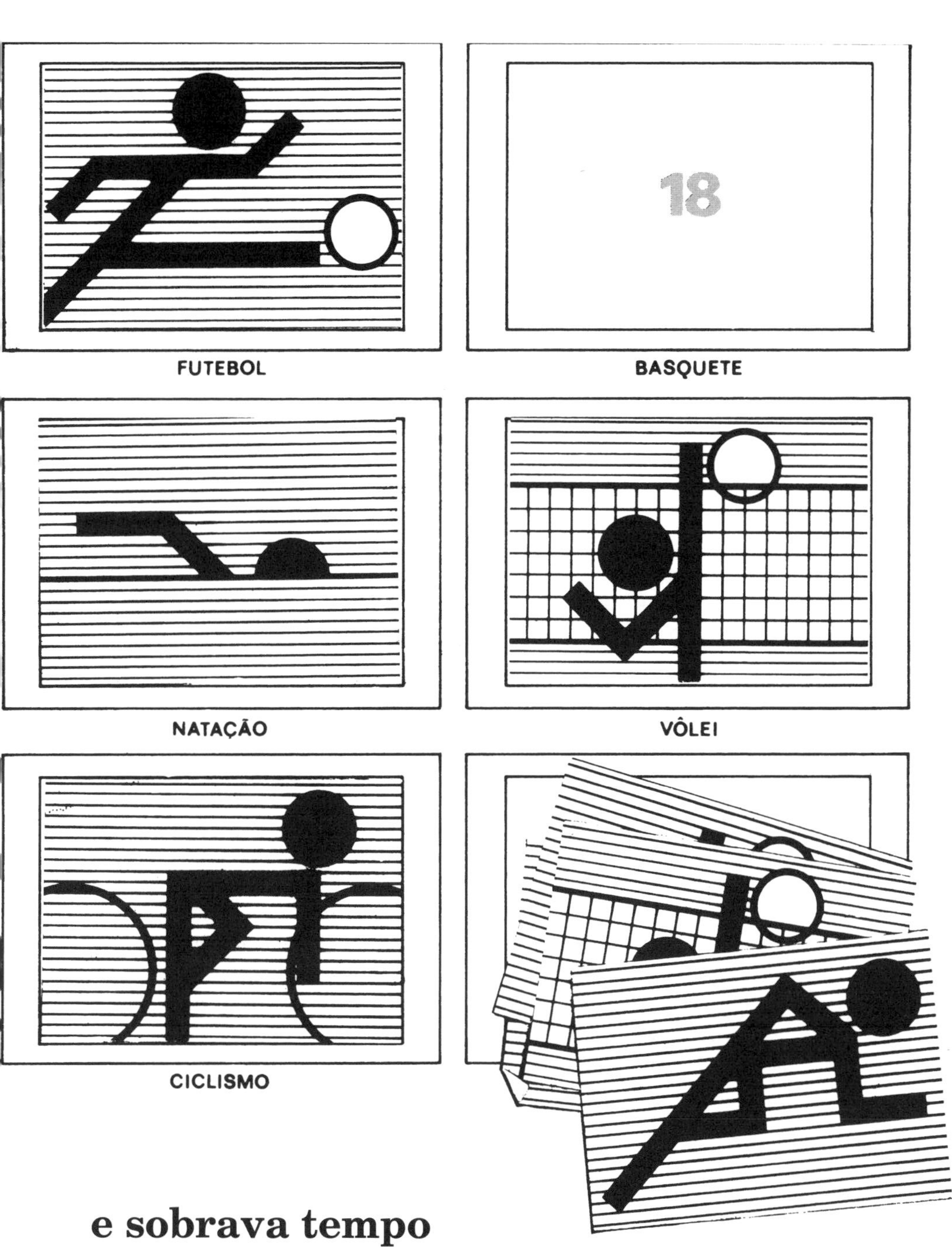

e sobrava tempo pra colar figurinhas

e para anotar nos livros de histórias e aventuras todas aquelas passagens em que ele virava o herói.

este aqui sou eu

está assinalada com um x vermelho, o que representa perigo.

— É a Ilha dos Tesouros Perdidos—, disse então o piloto de bordo. Quem nela se aventura dela jamais sai.

— Fujamos daqui! — gritavam uns.

— Ao mar, ao mar! — berravam outros.

E, como loucos, todos os meus companheiros lotaram os botes ou fizeram jangadas com destroços do navio, lançando-se às águas, em seguida.

— Venha, Sindbá—, gritaram ao ver-me de pé, sobre a rocha, olhando-os.

— Adeus, companheiros! — gritei então. — Eu ficarei!

— Louco! Vais morrer! Como sairás dela depois que nós nos formos?

— Adeus! — repeti. — Não me importa o meu fim. Ninguém conhece Sindbá! Só eu sei de minha sede de aventuras!

Com lágrimas nos olhos e gritos de despedida, os homens se afastaram nos botes, em busca de correntes favoráveis.

Fiquei só. As rochas escarpadas e escuras, batidas de ondas bravias, formavam um estranho cenário para minha figura solitária. Aves marinhas voltejavam sobre mim, soltando pios estridentes. Voltei então as costas para o mar e, escorregando nas pedras úmidas e ferindo nelas as mãos e os joelhos, segui rumo ao alto das escarpas.

Elas formavam a costa de uma enorme ilha, larga e com-

O tempo era assim pra ele:
fazia horas a mais.

E o menino maluquinho
era um menino tão querido
era um menino tão amado
que quando deu de acontecer
de o papai ir para um lado
e a mamãe ir pro outro
ele achou de inventar
(pois tinha aprendido a criar)
a Teoria dos Lados!

“Todo lado tem seu lado
Eu sou o meu próprio lado
E posso viver ao lado
Do seu lado, que era meu.”

Foi uma barra, é verdade.
E é verdade também
que pouca gente entendeu
a teoria maluca
do menino maluquinho
mas
ele ria baixinho
quando a saudade
apertava
pois descobriu
que
a saudade
era o lado
de um dos lados
da vida
que vinha aí.

Agora, vejam se pode
uma descoberta dessas!

Só mesmo sendo maluco
ou sendo amado demais.

O menino maluquinho jogava futebol.

E toda a turma
ficava esperando
ele chegar
pra começar o jogo.

É que o time
era cheio de craques
e ninguém queria
ficar no gol.
Só o menino maluquinho
que dizia sempre:

“Deixa comigo!”

E ia rindo pro gol
para o jogo começar.

E o menino maluquinho
voava na bola

e caía de lado
e caía de frente

e caía de pernas pro ar

e caía de bunda no chão

e dançava no espaço
com a bola nas mãos.

E a torcida ria
e gostava de ver
a alegria daquele goleiro.

E todos diziam:
“Que goleiro maluquinho!”

O menino maluquinho
pegava todas!

Mas
teve uma coisa que ele
não pôde pegar
não deu pra ele segurar
embora ele soubesse transá-la
como um milagre.

O menino maluquinho
não conseguiu segurar o tempo!

E aí, o tempo passou.

**E, como todo mundo,
o menino maluquinho cresceu.**

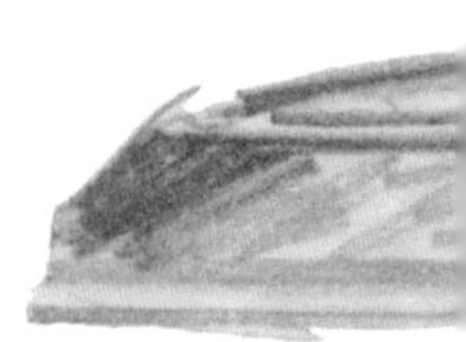

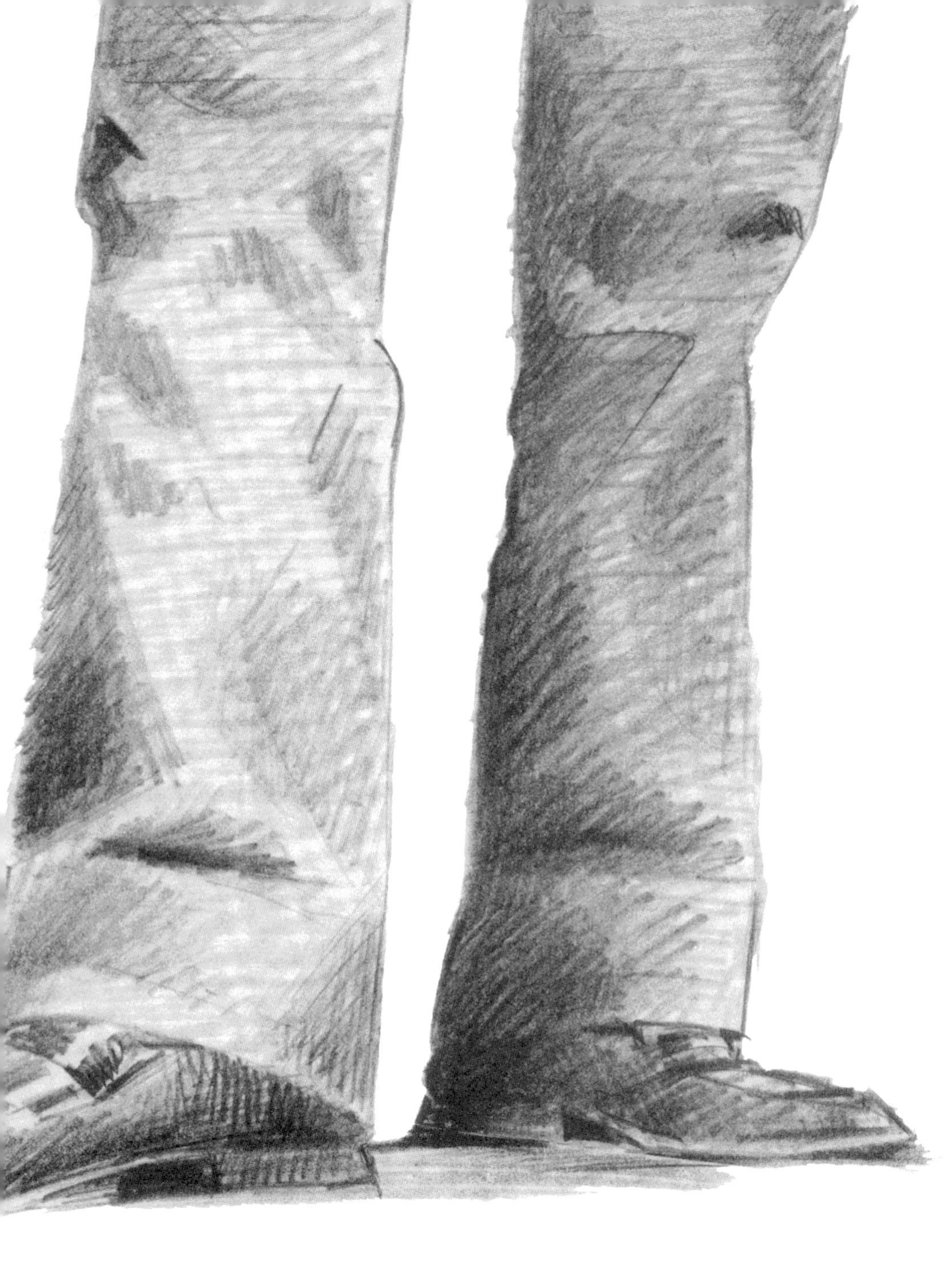

Cresceu
e virou um cara legal!

**Aliás,
virou o cara mais legal
do mundo!**

Mas um cara legal, mesmo!

E foi aí que
todo mundo descobriu
que ele
não tinha sido
um
menino
maluquinho

ele tinha sido era um menino <u>feliz</u>!

A valsinha da página 61 foi feita pelo Antônio (12 anos).
Quem colocou as notas na pauta foi o Sérgio Ricardo.
O Antônio desenhou também rosas e passarinhos. Os
outros desenhos infantis foram feitos pelos gêmeos
Miguel e Pedro (9 anos) e pela Apoena (6 anos), sendo
que a Apoena entra aqui no papel de filha do cara legal
que desenhou o papai. A Fabrízia, o Paulo e a Vilma
também colaboraram, e o Geraldinho (da Grafio) criou
as figurinhas da página 81. Agradecimentos mis.
Para não comprometer ninguém com meras
coincidências, deixo a dedicatória do livro para o final.
E dedico este livro ao Millôr e ao Jaguar, ao Zuenir e ao
Milton, ao Rafa e ao Zé. Por várias razões.
(Ziraldo, no Rio de Janeiro, em julho de 1980)

Este livro foi impresso na
LIS GRÁFICA E EDITORA LTDA.
Rua Felício Antônio Alves, 370 – Bonsucesso
CEP 07175-450 – Guarulhos – SP
Fone: (11) 3382-0777 – Fax: (11) 3382-0778
lisgrafica@lisgrafica.com.br – www.lisgrafica.com.br